Séverine Vidal   Louis Thomas

SUR MON FIL

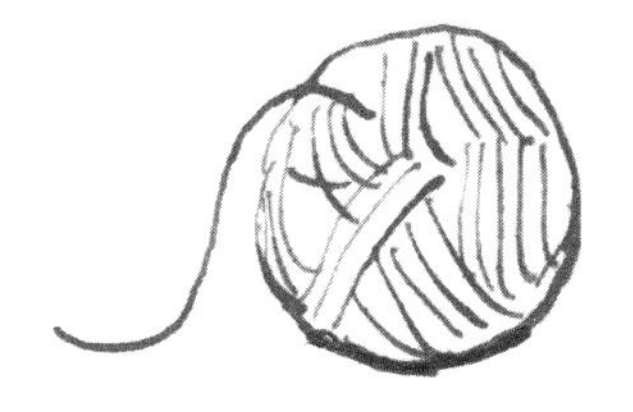

MILAN

Entre la maison de Maman et celle de Papa, il y a un monde.
Un monde qui dure... une semaine.

Une semaine chez Maman, une semaine chez Papa.
Une semaine, c'est long, parfois. Sept jours, presque
des millions de secondes!
Pour aider le temps à passer plus vite, j'ai tendu un fil
entre mes deux vies.

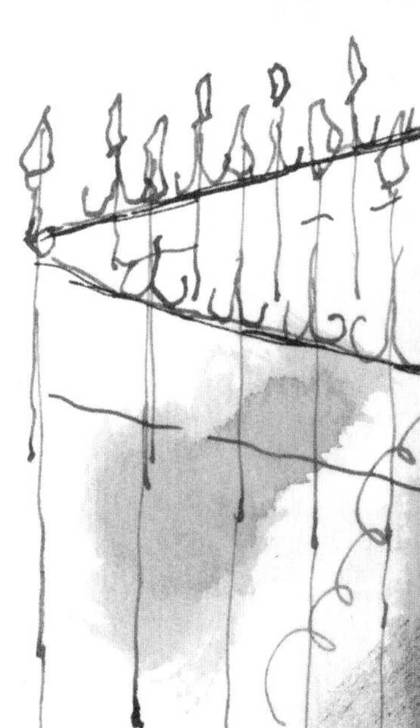

Pour Thélio, Ninon et Fantine, les acrobates.
Avec tout mon amour.
S. V.

 Loi 49.956
du 16 juillet 1949 sur les publications destinées à la jeunesse.
Dépôt légal : 1er trimestre 2017
ISBN : 978-2-7459-7341-2
Imprimé par Leporello en Union Européene

Les deux maisons sont dans le même quartier, alors, le samedi matin, on fait le chemin à pied.
Avec Maman, quand on va retrouver Papa, on marche en se tenant la main, moi je saute sur le petit bord du trottoir; en fermant les yeux, je vois mon fil.
Maman me serre, me retient. On avance toutes les deux en se manquant déjà.

Quand on fait la route jusqu'à chez Maman,
Papa fait la course avec moi, il me lance des défis,
fait semblant de perdre et on chante en rigolant fort.
Je perds l'équilibre : pas facile de courir sur un fil invisible...
On s'arrange pour que le trajet soit le plus court possible.
Papa et moi, on n'aime pas les adieux.

Mes parents, ils ne s'aiment plus. Et ça, ça veut dire plus de bisous, même sur la joue. Ils se disent en silence un coucou de loin. Rusée, je me mets entre eux deux et je leur prends la main.

Alors on reforme un trio pour quelques secondes. Je suis le fil entre les deux. Un fil qui sourit pour masquer sa petite peine. J'aimerais bien qu'un jour, ils se reparlent vraiment.

Avant de se dire au revoir,
on discute un peu. On fait
« un point sur la semaine ».
C'est ma vie en trois, quatre phrases :
ce que j'ai mangé, comment ça s'est
passé à l'école, les devoirs à faire...
Ou encore les prochaines vacances.
Je n'aime pas ce thème :
ils me « partagent ». Ça peut faire mal,
là, sous l'os qui monte et qui descend
quand on respire.
Qui me prend pour Noël,
qui m'aura pour le Jour de l'an ?
Qui m'aura ?

Quand c'est la super géniale bonne humeur, Papa raconte une blague ou un mot rigolo que j'ai dit. Je ne dis pas qu'après, Maman applaudit des deux mains en faisant des galipettes, mais elle fait son petit sourire ému.

J'ai eu quelques succès comme ça. Quand Papa a raconté que l'autre soir, sous la douche, j'ai dit : « Le shampoing, il m'éclamousse. »
Ou quand j'ai vu la photo de Maman à mon âge et que j'ai demandé : « Pourquoi Maman elle était devenue moi quand elle était petite? »
Elle a adoré!
Parfois, je fais exprès de me tromper de mot ou de poser une question grave pour que Papa raconte et que Maman sourie.
Je suis une maligne.

Une petite guenon maligne
sur un fil invisible.

À un moment, il y a (il y a toujours) un long silence gêné.
Comme un morceau qu'on a avalé de travers et qui reste
coincé dans le gosier. C'est le signe que c'est fini.
Celui qui m'a déposée va repartir.
Il me reste peut-être une minute.

Si c'est Papa qui repart chez lui, c'est compliqué. Je dois lui dire (mais sans les mots prévus pour ça : Papa et moi, on n'aime pas trop les mots) : « Je t'aime, tu vas me manquer, t'es le meilleur papa du monde, le soir quand t'es pas là, je pleure, je fais des cauchemars où tu meurs noyé dans tes larmes, tout seul dans ta maison vide, et j'ai une peur monstre au ventre. »

C'est court, une minute, pour dire tout ça juste avec le regard. Alors, je m'en sors avec une pirouette, je le fais rigoler un peu pour sécher ses larmes qu'on ne voit pas.

Pour Maman, c'est plus simple. On s'accroche, nos mains serrées sur le tissu des jupes et des manteaux. On se chuchote des mots doux pour s'en souvenir, le soir, dans le lit. On ferme les yeux et on profite. Moi, j'essaye de garder l'odeur de Maman, la douceur de sa peau, son grain de beauté près de l'oreille, et le son de sa voix qui s'étrangle.

C'est court aussi, une minute, pour retenir toute sa maman.
Alors, souvent, j'attrape son écharpe, je la fais glisser vers moi.
Et je la vole. Il y a son parfum dessus.

Voilà. La minute passée,
celui qui part lâche ma main
et s'en va vers sa semaine sans moi.
Dans ma tête, je ramasse mon fil,
je le roule et je le glisse dans ma poche.
Je le retrouverai plein de nœuds samedi prochain,
pour faire le chemin dans l'autre sens.

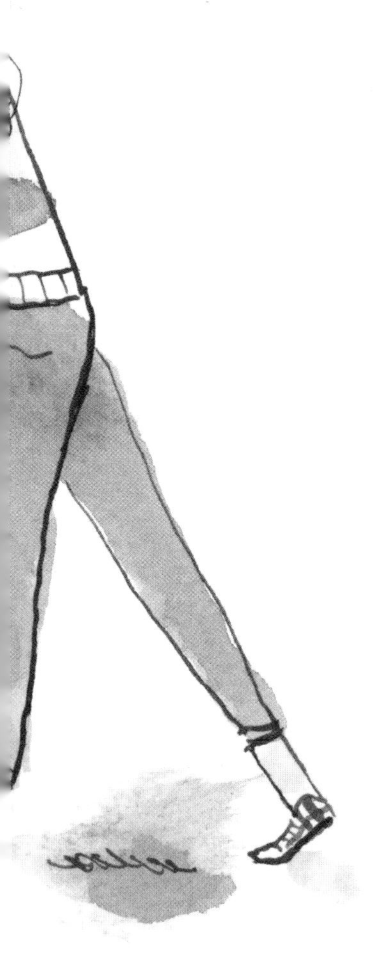

En rentrant dans la maison, je pose ma carapace.
C'est comme ça qu'on appelle mon gros sac à dos en forme de tortue.
Dedans, en gros, j'ai ma vie.
Mon livre, mes doudous, mes feutres, ma robe préférée (la mauve à pois), et Luciole, ma veilleuse. J'ai parfois en plus mes médicaments, des billes si c'est la saison, quelques bonbons, une invitation d'anniversaire ou un dessin pour Mamie.

C'est bizarre, mais, à part le trajet sur mon fil et les adieux sur le perron, j'aime bien ma vie. J'ai deux maisons, deux chambres, deux façons de manger, deux façons de m'amuser, deux façons de faire mes devoirs, deux façons de m'habiller, des musiques différentes, des odeurs différentes.

Même les gestes que je fais sont différents. Voilà. Par exemple, chez Papa, je me blottis dans un grand pouf en velours rouge que j'adore. Une fois dedans, on ne me voit plus : je disparais, avalée par le pouf ! Chez Maman, pas de pouf, je me cale dans le canapé, avec mes doudous qui font coussins. C'est bien aussi.

Le soir chez Papa, il me raconte des tas d'histoires,
il me fait des blagues qui m'énervent beaucoup,
il me fait peur, il me chatouille, il me fait croire
à des trucs idiots, on fait des batailles de semoule
(on en met partout, c'est chouette).

Chez Maman, rien de tout ça. On dessine, on découpe, on commente les magazines, on regarde le patinage à la télé en se moquant des tenues ridicules des filles, on invente des recettes tordantes : nouilles au caramel et saucisses au dessert.
Pas mal non plus.

J'aime bien ces changements. Mais moi, je reste la même.

Et mes rêves aussi restent les mêmes. Je rêve encore
que mes parents font la paix, pas la vraie paix avec un mariage
pour fêter ça, non, ça je sais que c'est impossible.
Je rêve d'une paix pour les jours « sur le fil ».
Pour les samedis.
Une paix où on n'aurait plus les regards en coin,
les mots de travers, les sous-entendus, les secrets.
Où Maman inviterait Papa à prendre un petit café
avant son départ.

Mes cauchemars sont les mêmes aussi :
souvent, je rêve en tremblant que mon fil s'emmêle,
que les nœuds sont trop serrés, impossibles
à dénouer. Papa et Maman m'aident,
on s'y met tous les trois, mais non, rien.
Dans mon rêve, le nœud du samedi est solide.

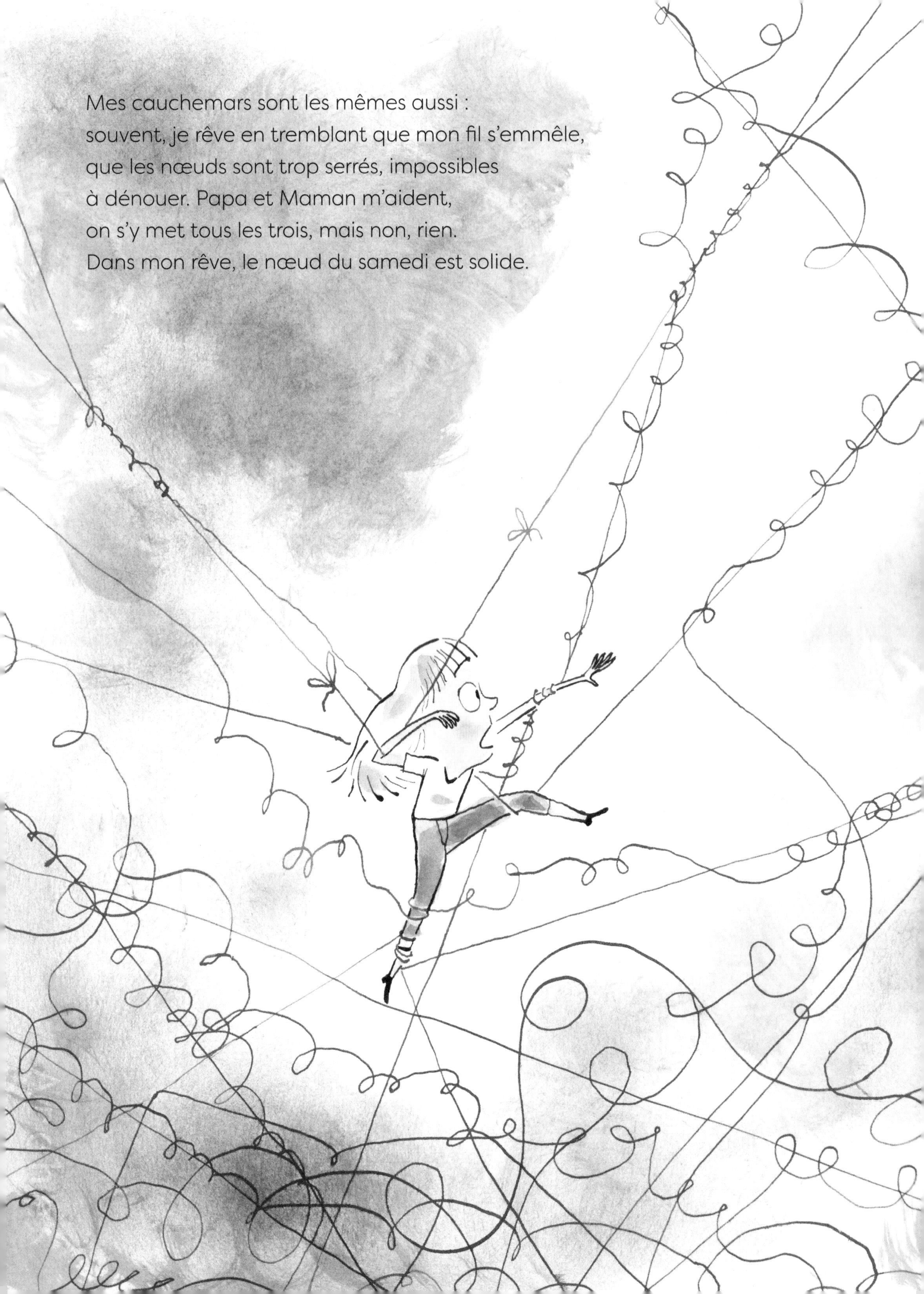

Heureusement, à mon réveil, ça va mieux.
Je retrouve le fil, je reprends ma marche
en essayant de ne pas tomber.

Et la vie continue comme ça, tranquille.

Je m'imagine, plus tard. Quand je serai moi, mais en version adulte.
Selon les jours, je me vois en fleuriste, en boulangère, en pompier,
en pilote de course, en danseuse.
En cracheuse de feu.
En dompteuse de poulpe.

Finalement, je sais.
J'ai longtemps hésité, mais maintenant je sais.
Je serai ce que je suis déjà : funambule.

Une fille qui marche dans le ciel, la tête haute.
Je serai funambule.